SCHWEIZ | SUISSE | SWITZERLAND | スイス

PHOTOS CHRISTOF SONDEREGGER, MARCUS GYGER | TEXT ANDRES BETSCHART

Im Internet unter www.MySwitzerland.com sind wertvolle und aktuelle Informationen zum Ferien-, Reise- und Kongressland Schweiz abrufbar.

Sur internet, www.MySwitzerland.com, vous trouverez des informations précieuses, sans cesse mises à jour, sur la Suisse, pays de vacances, de voyages, de loisirs et de congrès.

In the internet at www.MySwitzerland.com you will find valuable and constantly updated information on Switzerland as a holiday, travel and conference country.

インターネット　（www.MySwitzerland.com）でスイスの休暇・旅行・会議に関する価値ある最新情報がご覧頂けます。

Photos:
P. 6, 7, 11, 12/13, 16/17, 19, 20/21, 24/25,
60 top, 74/75, 78/79, 84 left: Marcus Gyger, Berne
Others: Christof Sonderegger, Rheineck

Translation:
Elfie Schaller-Gehenn, Tann-Zurich (french)
John G. O'Brien, Basel (english)
Urs and Tamami Loosli, Herrliberg-Zurich (japanese)

© AS Verlag & Buchkonzept AG, Zurich 2000
Photo editing and arrangement by Heinz von Arx, Zurich
Endpapers by Hans Inauen, Zurich
ISBN 3-905111-55-1

Die Schweiz – ein Land der Gegensätze und der Harmonie zugleich. Auf rund 40 000 km² findet der Gast vier Kulturen vor, die in Einklang leben, wobei jede ihre Eigenständigkeit bewahrt hat. Als Destination mit hohem Erlebniswert vereinigt das Ferienland Schweiz eine grosse Vielfalt auf engstem Raum und ist während aller vier Jahreszeiten attraktiv. Vom Kulturfan bis zum Sportbegeisterten, allen bietet die Schweiz eine farbenfrohe Palette von Aktivitäten und Veranstaltungen an. Rund 4000 kulturelle Sehenswürdigkeiten und Naturwunder warten darauf, entdeckt zu werden. Mehr als 400 Veranstaltungen von Weltruf – vom Montreux Jazz Festival bis zum Leichtathletikmeeting «Weltklasse Zürich» – sowie 40 Feriendestinationen und Städte mit internationalem Ambiente bereichern den Aufenthalt unserer Gäste. Das hervorragend ausgebaute Bahn-, Schiff- und Strassennetz der Schweiz transportiert den Gast von den Gletschern zu den Palmen, von den Hochalpen zu mediterranen Landschaften. Jedes Ausflugsziel ist einfach und bequem zu erreichen, Entspannung und Genuss der stets variierenden Landschaft inklusive.

Der vorliegende Bildband ist als Souvenir für Freunde der Schweiz gedacht. Das Reizvolle liegt in seiner Art, dem Betrachter Altbekanntes aus einer neuen Perspektive zu zeigen. Er soll aber auch eine Einstimmung sein für Landesunkundige, die dieses vielfältige und attraktive Ferien- und Reiseland entdecken möchten. Tauchen Sie ein in die Welt der Vielfalt und lassen Sie sich von diesem wunderschönen Bildband zu Ihrer ganz persönlichen Schweiz-Reise inspirieren, denn nichts ersetzt das «Live-Erlebnis» und den Besuch vor Ort. Wir freuen uns auf Sie!

Jürg Schmid
Direktor Schweiz Tourismus

La Suisse, un pays fait à la fois de contrastes et d'harmonie. Sur quelque 40 000 km², le visiteur trouvera, dans sa population, quatre cultures dont les représentants vivent en harmonie, chacune d'elles ayant néanmoins gardé son autonomie. En tant que destination offrant un grand potentiel d'activités et de choses intéressantes à découvrir, la Suisse, pays de vacances, présente une grande diversité sur un espace restreint. Elle est, de plus, attrayante durant les quatre saisons. Tous, des férus de culture aux passionnés de sports, pourront y jouir d'un large éventail, aux nombreuses facettes, d'occupations gratifiantes et de manifestations. Quelque 4000 particularités culturelles et merveilles de la nature y attendent d'être découvertes. Plus de 400 manifestations de renommée mondiale – du festival de jazz de Montreux au meeting d'athlétisme «Weltklasse Zürich» – ainsi que 40 lieux de vacances et villes empreints d'une atmosphère internationale sont propres à enrichir le séjour de nos hôtes. Le réseau ferroviaire et routier tout comme les voies navigables, très bien développés, transportent le visiteur des glaciers aux palmiers, des hautes montagnes aux sites méditerranéens. Chaque destination d'excursion peut être rejointe simplement et commodément, et le trajet y ajoute une agréable détente avec la jouissance du paysage sans cesse changeant.

Le présent ouvrage illustré est destiné à être un souvenir pour les amis de la Suisse. Son charme réside dans la façon de présenter au lecteur, sous un nouvel angle, des choses connues. Mais il a aussi pour vocation de mettre dans l'ambiance de la Suisse ceux qui ne la connaissent pas, qui désirent découvrir ce pays de vacances et de voyages attrayant, aux multiples aspects. Plongez-vous dans ce monde si plein de diversité et inspirez-vous de ce magnifique album pour votre voyage tout à fait personnel en Suisse. Car rien ne remplace l'expérience vécue et la visite au lieu même. Au plaisir de vous recevoir!

Jürg Schmid
Directeur de Suisse Tourisme

Switzerland – a country of contrasts and harmony alike. On a land area of about 40,000 km² the visitor will find four cultures that live in complete accord, yet with each retaining its own uniqueness. Being a destination with a high personal experience value, Switzerland as a holiday country combines an enormous variety of attractions within a very small space and is attractive in all seasons. From the culture fan to the active sports lover, Switzerland offers everyone a colourful palette of activities and events the year round. Some 4000 cultural and natural places of interest await discovery. More than 400 world-famous events, from the Montreux Jazz Festival to the World Class Zurich track and field event, as well as 40 holiday resorts and cities with an international ambiance are sure to make the visitor's stay an unforgettable one. Switzerland's superbly organized railway, boat and highway network can transport the guest from the glaciers to the palm trees, from the high Alps to Mediterranean landscapes. Every excursion destination is easily and comfortably reached, with relaxation and enjoyment of the ever-varied landscape always included.

This picture book is intended as a souvenir for friends of Switzerland. Its fascination lies in its way of showing the viewer familiar sights from a fresh and novel perspective. However, it's also designed to put those who may be unfamiliar with the country in a mood to discover this extremely varied and attractive holiday and travel destination for themselves. So, immerse yourself in Switzerland's world of variety and let this uniquely beautiful collection of pictures inspire you to make your own very personal trip to Switzerland, because nothing can replace the live experience of an actual visit. We look forward to seeing you!

Jürg Schmid
Director, Switzerland Tourism

対照と調和が共存する国、スイス。およそ４万km²の国土に４つの文化がそれぞれの独自性を守りつつ協調して生きています。小さい中に大きな多様性を集約しているスイス。四季折々にアトラクティブな、試す価値ありのリゾート国です。文化愛好者からスポーツ・ファンまで、どなたにも色とりどりのアクティビティやイベントのパレットをご用意しています。４千におよぶ文化名所や自然の驚異が発見されるのを待っており、世界に名高いモントルーのジャズ・フェスティバルやチューリヒのフィールド競技大会など４百を越える催しがあり、ご滞在には国際情緒豊かな４０のリゾート地や町々。よく張り巡らされた鉄道・船・道路網を利用すれば、氷河から椰子の地へ、アルプスの高原から地中海情緒へ。どの目的地へも簡単に心地よく移動でき、道中もリラックスして常に様変わりする景観を楽しめること請け合いです。

この写真集は既にスイスの友である方々に思い出として頂けるのではないでしょうか。旧知を新しい角度から見るところに面白さがあるかと思います。でも又これからこの多様な魅力ある国を知りたいとお考えの方々にも適切でしょう。多種多様の世界に浸り、美しい写真集からご自身がスイスを旅行されるイメージが湧いてきませんか？ライブ体験に勝るものなし。是非一度お越し下さい。お待ちしております！

ユルク・シュミード
スイス観光局長

Harte Männer, grosser Stein

83,5 kg schwer ist der Stein, der am Alphirtenfest in Unspunnen bei Interlaken gestossen wird, bei 3,61 m Wurfweite liegt der Rekord. Das 1805 erstmals abgehaltene Unspunnenfest ist eines der zahlreichen Alpfeste der Region, andere sind mit der Alpfahrt oder der Verteilung der genossenschaftlichen Käseproduktion verbunden. 1984 wurde der Original-Unspunnenstein von politischen Extremisten gestohlen, seither wird eine Kopie benützt. 1999 will ein Fotojournalist das Original in Belgien aufgespürt haben – jetzt mit Europasternen verziert.

Robustes les hommes, pesante la pierre

Elle pèse 83,5 kg, la pierre que l'on lance au cours de la fête des bergers d'alpage à Unspunnen près d'Interlaken. Le record du jet se place vers 3,61 m de distance. La fête d'Unspunnen, organisée pour la première fois en 1805, est l'une des nombreuses festivités alpines de la région. D'autres sont liées à la montée à l'alpage ou au partage du fromage produit en coopérative. En 1984, la pierre originelle d'Unspunnen fut volée par des extrémistes politiques; depuis lors, on se sert d'une reproduction pour la compétition. En 1999, un photojournaliste prétendit avoir dépisté l'original en Belgique... décoré, à présent, d'étoiles européennes.

Strong men heave a big stone

The stone heaved in the Alp herdsman festival held near Interlaken weighs 83.5 kg, and the record distance is 3.61 m (11.8 ft). The Unspunnen festival, first held in 1805, is only one of the many Alpine festivals in the region, others are held in conjunction with the ascent of the cows to the summer alp or the distribution of the cooperative cheese production. In 1984 the original Unspunnen stone was stolen by political extremists, and since then a copy has been used. A photo journalist claims that he saw the original in Belgium in 1999, now decorated with the stars of the EU.

強固な男達、大きな石

インターラーケンに近いウンシュプンネンではアルプス高原の牧人祭りが行われます。祭りで投げられる石の重さは83.5kg、最高記録は3.61mです。この祭りは1805年から行われていますが、この他にも地域にはアルプ祭りが多々あり、高原の牧場に家畜を連れ行くアルプファールトや共同生産したチーズを分けるケースタイレットの行事などと結びついています。元祖の石は1984年に政治過激派によって盗まれてしまい、それ以来使われているのはその模造石。ある写真記者によると、元祖は1999年にベルギーで発見され、今ではヨーロッパ・シンボルの星飾りがついているとのことですが…。

Auf Brettern aller Art durch den Schnee

Als um 1900 die ersten Skifahrer die Hänge des Berner Oberlandes unsicher machten, wurden sie verspottet und verhöhnt. Nicht anders erging es acht Jahrzehnte später den ersten Snowboardern. Aber die Zeiten, als ihnen der Zutritt zum Skilift verwehrt wurde, sind endgültig vorbei: Heute werden die Snowboarder mit allen Mitteln umworben, und die Wintersportorte geben Acht, dass sie keine neuen Trends mehr verschlafen.

Des planches de tout genre pour circuler sur la neige

Lorsque, vers 1900, les premiers skieurs hantèrent les pentes de l'Oberland bernois, on les tourna en dérision. Les premiers snowboarder subirent le même sort huit décennies plus tard. Mais les temps où on leur interdisait l'accès à la remontée mécanique sont définitivement révolus. Aujourd'hui, on courtise les snowboarder par tous les moyens, et les stations de sports d'hiver veillent à ne plus laisser passer sans en profiter les nouvelles tendances.

Boards of all kinds through the snow

Around 1900, when the first skiers infected the slopes of the Bernese Oberland, they were ridiculed and laughed at. The reaction was no different eight decades later, when the first snowboarders were seen. But the days when these were refused admission to the skilifts are long gone. Today snowboarders are courted by all available means, and now the winter sport resorts are careful not to miss any new trends.

好みのボードで雪上に

1900年に初めてベルナー・オーバーランドの斜面を怖々滑り降りたスキーヤー達は嘲笑され馬鹿にされたもの。80年ほどの歳月が事なく流れて、次に現れたのがスノーボーダー。スキーリフトにはお断りと言われた時代は過ぎ去り、今日では引く手あまたのスノーボーダー。新しいブームに気づかず寝過ごしてしまわぬよう、冬のリゾート地では注意を払っています。

BERNER OBERLAND UND WALLIS
OBERLAND BERNOIS ET VALAIS
BERNESE OBERLAND AND VALAIS
ベルナー・オーバーランドとヴァリス

Im Berner Oberland und im Wallis schwingt sich die Schweiz in höchste Höhen auf: 4634 m zeigt der Höhenmesser auf der Dufourspitze im Monte-Rosa-Massiv, dem höchsten Schweizer Berg. Und die Region kann mit weiteren Höhepunkten glänzen: etwa mit dem Matterhorn, dem Jungfraujoch und dem mehr als 23 km langen Aletschgletscher. In den Tälern zwischen den hohen Bergen haben noch viele alte Traditionen überlebt, und im Sommer wie im Winter können Feriengäste zwischen einer Vielzahl von Freizeitaktivitäten auslesen.

Dans l'Oberland bernois et le Valais, la Suisse élance ses sommets aux altitudes maximales: l'altimètre indique 4634 m sur la Pointe Dufour, point culminant des montagnes helvétiques, dans le massif du Mont-Rose. La région brille d'ailleurs par d'autres «sommets»: le Cervin, par exemple, le Jungfraujoch et le glacier d'Aletsch dont la longueur dépasse 23 km. Dans les vallées blotties entre ces hautes montagnes, beaucoup d'anciennes traditions ont survécu et, en été comme en hiver, les vacanciers ont le choix entre de nombreuses activités gratifiantes pour leurs loisirs.

In the Bernese Oberland and Valais, Switzerland swoops up to its highest points: atop the Dufourspitze in the Monte Rosa massif, the highest Swiss mountain, the altimeter shows 4,634 m (15,200 ft). This area of the country can boast of numerous other well-known high points, such as the Matterhorn, the Jungfraujoch and the 23 km-long Aletsch glacier. In the valleys between the high mountains, many old traditions still survive, and holiday guests can choose among a wide variety of leisure activities.

スイスが波立つのは、ベルナー・オーバーランドとヴァリス地方。モンテ・ローザのデュフール・シュピッツェが最高峰の4634mです。更に、マッターホルン、ユングフラウヨッホ、それに23kmに及ぶアレッチュ氷河、とハイライトに輝いています。高い山々の狭間にある谷ではまだ数多くの古い伝統が存続し、休暇を過ごす人々に夏冬問わず様々なアクティビティを提供しています。

Walliser Käseschnitte
4 grosse Brotscheiben, 2 Williamsbirnen, 2 dl Fendant (Weisswein), 400 g Raclettekäse, Pfeffer und Paprika.
Die Birnen schälen und halbieren, das Kerngehäuse entfernen und in wenig Wasser weich dünsten. Brotscheiben in Weisswein tauchen, eine Birnenhälfte darauf geben und in Tranchen geschnittenen Käse darüber verteilen. Bei starker Hitze backen, bis der Käse geschmolzen und das Brot knusprig ist. Mit Pfeffer und Paprika würzen.

Croûtes au fromage à la valaisanne
4 grandes tranches de pain, 2 poires williams, 2 dl de Fendant (vin blanc), 400 g de fromage à raclette, poivre et paprika.
Pelez les poires et coupez-les en deux, retirez-en le trognon et pochez-les dans un peu d'eau. Trempez le pain dans le vin, posez une moitié de poire sur chaque morceau et répartissez-y le fromage coupé en tranches. Faites gratiner à grande chaleur jusqu'à ce que le fromage soit fondu et le pain croustillant. Assaisonnez de poivre et de paprika.

Valais Käseschnitte
(Toasted cheese slices)
4 large slices of bread, 2 Williams pears, 1 cup Fendant white wine, 400 g (1 lb) Raclette cheese, pepper, paprica.
Peel and slice the pears in half, remove the cores and heat in a little water until soft. Soak the bread slices in the wine, place a pear half on each and cover it with a piece of the sliced cheese. Toast in a hot oven until the cheese is melted and the bread crisp. Season with pepper and paprica.

ヴァリス風ケーゼ・シュニッテ
パン４切れ、ウィリアムス洋なし２個、ファンダン（白ワイン）２dℓ、ラクレット・チーズ400ｇ、胡椒とパプリカ。
洋なしをむいて半分に切り、芯部分を取り除く。水少々で柔らかくなるまでとろ火にかける。白ワインに浸したパンに洋なしをのせ、その上に薄く切ったチーズをかぶせる。チーズがとけパンが香ばしくなるまで強火で焼く。胡椒とパプリカで味を調える。

◄

Die Staubbachfälle bei
Lauterbrunnen

La cascade du Staubbach
près de Lauterbrunnen

Staubbach Falls near
Lauterbrunnen

ラウターブルンネンの
シュタウプバッハ滝

▶

Auf der Rosenlaui,
Blick gegen die Wellhörner

Sur le Rosenlaui, coup d'œil
sur les Wellhörner

On the Rosenlaui, looking
toward the Wellhörner

ローゼンラウイから眺
めるヴェルホェルナー

Alphorntreffen auf
dem Männlichen vor Eiger,
Mönch und Jungfrau

Rencontre de cornistes des
Alpes sur le Männlichen en
face de l'Eiger, du Mönch et
de la Jungfrau

Alphorn gathering on the
Männlichen in front of the
Eiger, Mönch and Jungfrau

アイガー、メンヒ、
ユングフラウの手前、
メンリヒェンにてアル
ペンホルンの集い

Auf der Kleinen Scheidegg,
Blick in die Eigernordwand

Kleine Scheidegg: vue sur
la paroi nord de l'Eiger

On the Kleine Scheidegg,
looking toward the Eiger
north face

クライネ・シャイデッ
クから見たアイガー
北壁

Das Sphinx-Observatorium
auf dem Jungfraujoch,
3571 m ü. M.

Observatoire du Sphinx sur
le Jungfraujoch, à 3571 m
d'altitude

The Sphinx Observatory on
the Jungfraujoch, altitude
3,571 m (11,713 ft)

ユングフラウヨッホの
スフィンクス展望台、
海抜3571m

◄
Die Berner Alpen spiegeln
sich im Bachsee oberhalb
Grindelwald.

Les Alpes bernoises se
mirent dans le Bachsee
au-dessus de Grindelwald.

The Bernese Alps reflected
in the Bachsee above
Grindelwald

グリンデルワルト上方、
バッハゼーに映るベル
ナー・アルプス

◄
Blick vom Brienzer Rothorn
über den Brienzer
See gegen Interlaken

Coup d'œil, du haut du
Brienzer Rothorn, sur le
lac de Brienz en direction
d'Interlaken

View from the Brienzer
Rothorn over the Lake of
Brienz toward Interlaken

ブリエンツェル・ロート
ホルンよりブリエンツ
湖、インターラーケン
方面への眺望

▶
Schloss Oberhofen
am Thuner See

Château d'Oberhofen au
bord du lac de Thoune

The castle of Oberhofen on
the Lake of Thun

トゥーン湖畔のオー
バーホーフェン城

◄
Im Emmental, Blick gegen
die Berner Alpen

Dans l'Emmental, vue sur
les Alpes bernoises

In the Emmental valley,
looking toward the Bernese
Alps

エメンタールからベル
ナー・アルプスを望む

▶
Berner Bauernhaus aus
Ostermundigen im Frei-
lichtmuseum Ballenberg
bei Brienz

Ferme typique bernoise
dans l'écomusée de Ballenberg près de Brienz

Bernese farmhouse in
the Ballenberg open-air
museum near Brienz

ブリエンツ近郊の野外
博物館バーレンベルク
にあるオステルムンディ
ゲンのベルン式農家

◄
Chästeilet im Justistal

«Chästeilet» (partage du
fromage) dans la Justistal

"Chästeilet" (cheese dis-
tribution festival) in the
Justistal valley

ユスティスタールの
ケースタイレット

◄

Das Matterhorn spiegelt
sich im Schwarzsee.

Le Cervin se reflète dans le
lac Noir.

The Matterhorn, mirrored in
the Schwarzsee (Black Lake)

シュヴァルツゼーに反映
するマッターホルン

▶

Traditioneller Walliser
Speicher im Mattertal,
im Hintergrund das
Matterhorn

Grenier valaisan tradi-
tionnel dans la vallée de
Saint-Nicolas. A l'arrière-
plan, le Cervin

Traditional Valais store-
house in the Mattertal
valley, with the Matterhorn
in the background

マッター谷にある伝統
的ヴァリス風高床式
倉庫。背景にはマッター
ホルン

◄

Viehmarkt in
Oey-Diemtigen

Marché aux bestiaux à
Oey-Diemtigen

Cattle market in
Oey-Diemtigen

オエイ・ディムティ
ゲンの牛市場

◄

Das Monte-Rosa-Massiv
und der Gornergletscher
vom Gornergrat aus
gesehen

Le massif du Mont-Rose et
le glacier du Gorner, vus sur
le Gornergrat

The Monte Rosa massif and
the Gorner Glacier, seen
from the Gornergrat ridge

ゴルナーグラートから
見たモンテ・ローザと
ゴルナー氷河

◄

Prozession am Segens-
sonntag im Lötschental

Procession du dimanche
des Bénédictions dans le
Lötschental

Procession on Blessing
Sunday in the Lötschental
valley

レッチェンタールで
豊穣祝日のパレード

►

Sion und das Bietschhorn,
3934 m ü. M.

Sion et le Bietschhorn
(3934 m d'alt.)

Sion and the Bietschhorn,
altitude 3,934 m (12,903 ft)

シオンとビーチホルン、
海抜3934m

Kampf der Ehringerkühe
im römischen Amphitheater
von Martigny

Combat de reines des
vaches de la race d'Hérens
dans l'amphithéâtre romain
de Martigny

Ehringer cows fighting in
the Roman amphitheatre
of Martigny

マルティニの古代ロー
マ円形劇場で催される
闘牛

◄

Schafscheid auf der Belalp

Répartition des moutons
sur l'alpe de Bel

Sharing out of the sheep
on the Belalp

ベルアルプの羊囲い

►

Alpaufzug der Ziegen
auf dem Aletschgletscher

Montée à l'alpage des
chèvres sur le glacier
d'Aletsch

Herding goats across the
Aletsch Glacier up to the
summer pastures

アレッチュ氷河を越え
る山羊の行進

Hochalpiner Volks(auf)lauf

Für die einen ist es ein ernsthafter sportlicher Wettkampf, für die anderen ein Happening, bei dem die – durchaus respektable – sportliche Leistung eher zur Nebensache wird: Gegen 15000 Skilangläufer und -läuferinnen aus der ganzen Welt nehmen jedes Jahr am Skimarathon teil, der über 42,2 km durch die grossartige Landschaft des Oberengadins führt. Der Anlass ist aus dem Engadin nicht mehr wegzudenken – so wie auch die vielen alten Traditionen, die den Jahreslauf in den Bergtälern Graubündens und des Tessins bestimmen.

Course (et rassemblement) populaire en haute-montagne

Pour les uns, il s'agit d'une véritable compétition sportive, pour les autres, d'un happening où la performance sportive – certainement respectable – devient plutôt secondaire: quelque 15000 skieurs et skieuses de fond du monde entier prennent part, chaque année, au ski marathon engadinois qui les mène sur 42,2 km à travers le paysage grandiose de la Haute-Engadine. On ne saurait plus imaginer l'Engadine sans cet événement, ni faire abstraction des nombreuses et anciennes traditions qui jalonnent le cours de l'année dans les vallées des montagnes grisonnes et tessinoises.

Mass cross-country ski event in the high Alps

For some it's a serious sport competition, for others a happening where the physical performance, even though quite respectable, is only secondary. This is the annual cross-country ski marathon through the Upper Engadine, drawing some 15,000 male and female skiers from all over the world and covering a distance of 42.2 km through the valley's magnificent scenery. The Engadine winter can no longer be imagined without this mass event, just like the many other old traditions marking the year's passage in the mountain valleys of Graubünden and Ticino.

アルプス高原の大レース

ある人にとっては真剣そのもののスポーツ競技。ある人にとっては結果はともかくも参加することに意義ありのイベント。毎年15000人に及ぶスキーヤーが、オーバーエンガディンの素晴らしい景観を抜ける42.2kmのスキー・マラソンに参加すべく世界各地から集まってきます。もうエンガディンにはなくてはならぬ催しのひとつ。その他にもグラウビュンデンやティチーノの谷には古い伝統年中行事が数多く残っています。

Wasser für den Körper und für die Seele

Das Wasser bestimmt das Freizeitangebot Graubündens und des Tessins. Kurbäder in mineralienhaltigen Wassern wurden hier schon lange vor der Erfindung des Begriffs «Wellness» gepflegt. Von den einst zahllosen Badanlagen haben allerdings nur eine Hand voll bis heute überlebt, diese warten dafür, wie etwa Bad Scuol (Bild), mit einem um so umfassenderen Angebot auf. Wers aktiver mag, kann seine Nerven bei Riverrafting oder Canyoning kitzeln lassen.

De l'eau pour le corps et l'âme

C'est l'eau qui détermine le choix des loisirs dans les Grisons et le Tessin. Les cures balnéaires dans des eaux minérales y furent pratiquées bien avant l'invention du concept de «wellness». Des bains thermaux jadis innombrables, seul un petit nombre a survécu jusqu'à ce jour. En revanche, ceux-ci sont en état d'offrir, comme la station thermale de Scuol, par exemple, (sur la photo) une palette d'autant plus vaste de prestations. Ceux qui préfèrent plus d'activité peuvent trouver des sensations fortes dans le riverrafting ou le canyoning.

Water for body and soul

Water is an essential component of the leisure activities offered by Graubünden and Ticino. Medicinal bathing in the mineral-rich waters of the region was known and utilized here long before the modern term "well being" was invented. Today, however, only a few of the formerly numerous spas have survived, but these offer an even greater scope of treatments, such as the Bad Scuol baths (see picture). Those who desire a more active experience can test their nerves at riverrafting or canyoning.

心身を癒す水

「水」はグラウビュンデンやティチーノ休暇の魅力。ミネラルの豊富な温泉は、今流行の"Wellness"感覚をずっと以前から醸し出してきました。一時は数え切れなかった温泉地の数が今日では片手に足りる程。でも、それだけに、例えばバード・スクオール（写真）などでは、実に用意万端のサービスが整っています。もっとアクティブな休暇を好むなら、リバー・ラフティングやキャニオニングでスリルを味わうこともできます。

Das Tessin ist die «Sonnenecke» der Schweiz, in den niedrigen Lagen wachsen Palmen und Zypressen, und die Lebensart des südlichen Nachbars Italien dringt nicht nur in der Umgangssprache, dem Italienischen, durch. Die romanische Kultur ist auch in manchen Tälern Graubündens gegenwärtig, wo Rätoromanisch gesprochen wird, die vierte Schweizer Landessprache. Die kulturelle und landschaftliche Vielfalt zeichnen das Tessin und Graubünden als ideale Feriengebiete aus. Hier gibt es unendlich viel zu tun und zu entdecken.

Le Tessin est le «Midi ensoleillé» de la Suisse. A basse altitude, les palmiers et les cyprès y poussent en pleine terre, et le genre de vie du voisin italien ne transparaît pas uniquement dans le langage courant de la région, l'italien. La civilisation latine est également présente dans certaines vallées des Grisons où l'on parle rhéto-roman, quatrième langue nationale suisse. La diversité dans leur culture et leur paysage font du Tessin et des Grisons des régions de vacances idéales. Les activités et les possibilités de découvertes y sont innombrables.

Ticino is the sunny side of Switzerland; palm and cypress trees grow at its lower levels, and the way of life of Italy, its neighbour to the south, comes out in more ways than just the local language, which is of course Italian. The Romansh culture is also present in many of Graubünden's valleys, where Rhaeto-Romansh, Switzerland's fourth official language, is spoken. Their cultural and scenic variety makes Ticino and Graubünden ideal holiday regions, where there are an endless number of things to do and discover.

低地なら椰子や糸杉も育つ、ティチーノはスイスの「太陽コーナー」。南の隣国イタリアの影響は言葉のみならず生活習慣全体に浸透しています。ラテン系文化はスイスの第四国語であるレト・ロマンシュ語が話されるグラウビュンデンの多くの谷にも見受けられます。文化や風景が多様なことからティチーノとグラウビュンデンは共に格好のリゾート地。なすべきこと発見すべきこと限りなしです。

Risotto con funghi
20 g getrocknete Steinpilze,
3 Esslöffel Öl, 1 gehackte Zwiebel,
1½ Tassen Risottoreis, 1 Tasse Rotwein,
3 Tassen Bouillon, 50 g Butter,
50 g geriebener Parmesankäse.
Steinpilze über Nacht in einer Tasse Wasser einweichen, gehackte Zwiebel in Öl dünsten, Reis und Pilze zufügen, andämpfen, mit dem Wein ablöschen und kurz einkochen. Pilzwasser und Bouillon zugeben und unter häufigem Rühren garen lassen, bis der Reis weich ist. Mit Käse und Butterflocken vermischen.

Risotto con funghi
(Risotto aux bolets)
20 g de bolets secs, 3 cuillerées
à soupe d'huile, 1 oignon haché,
1½ tasse de riz à risotto, 1 tasse de vin
rouge, 3 tasses de bouillon, 50 g de
beurre, 50 g de parmesan râpé.
La veille au soir, faites tremper les bolets dans une tasse d'eau. Etuvez l'oignon dans l'huile, ajoutez le riz et les bolets, étuvez rapidement, mouillez avec le vin et faites réduire un peu. Ajoutez l'eau de trempage des bolets et le bouillon, puis faites cuire à point le tout en remuant souvent. Incorporez le fromage et le beurre en flocons.

Risotto con funghi
(Risotto with mushrooms)
20 g (1 oz) dried porcini mushrooms,
3 tablespoons cooking oil, 1 chopped
onion, 1½ cups risotto rice, 1 cup red
wine, 3 cups meat broth, ½ cup butter,
½ cup grated Parmesan cheese.
Soak mushrooms overnight in 1 cup of water, then drain and chop them, saving the water. Sauté the chopped onion, add the rice and the mushrooms and sauté until tender, add the wine and boil down for a short time. Add the mushroom water and the broth and cook, stirring frequently, until the rice is soft. Mix with the cheese and butter flakes.

リゾット・コン・フンギ
(きのこリゾット)
乾燥ポルチーニきのこ 200 g、油 小さじ 3、玉ねぎみじん切り 1 個分、リゾット米 カップ 1 1/2、赤ブドウ酒 カップ 1、ブイヨン カップ 3、バター 50 g、粉パルメザン・チーズ。
乾燥きのこは一晩水につけてもどす。みじん切りにした玉ねぎを油でいため、米ときのこを加え、よく混ぜ合わせてから、ワインを加えて軽く煮立てる。きのこの戻し水とブイヨンを加え、常にかき混ぜながら米が柔らかくなるまで煮る。チーズとバターをまぜる。

◄

Die Rheinschlucht zwischen
Reichenau und Ilanz

Les gorges du Rhin entre
Reichenau et Ilanz

The Rhine gorge between
Reichenau and Ilanz

ライヒェナウとイラ
ンツ間にあるライン
渓谷

►

Riverrafting in
der Rheinschlucht

Riverrafting dans les
gorges du Rhin

Riverrafting in the
Rhine gorge

ライン渓谷での
リバー・ラフティング

Alp Stätz im Skigebiet
Lenzerheide-Valbella

L'Alp Stätz dans le domaine
skiable de Lenzerheide-
Valbella

Alp Stätz in the Lenzerheide-
Valbella ski area

レンツェルハイデ・
ヴァルベラのスキー場
アルプ・シュテツ

Der Landwasserviadukt der
Rhätischen Bahn bei Filisur

Viaduc Landwasser du
chemin de fer rhétique près
de Filisur

The Landwasser Viaduct of
the Rhaetian Railway near
Filisur

フィリズール近くレー
ティシュ鉄道のラン
ドヴァッサー高架橋

Am Lago Bianco
auf dem Berninapass

Au bord du Lago Bianco sur
le col de la Bernina

On the Lago Bianco atop
the Bernina Pass

ベルニナ峠のビアンコ
湖畔

◄
Snowboardvergnügen
im Berninagebiet

Les joies du snowboard
dans la région de la
Bernina

Snowboard fun in the
Bernina region

ベルニナ地方でスノー
ボードを楽しむ

►
Morteratsch-Gletscher
und Piz Palü

Glacier de Morteratsch et
Piz Palü

Morteratsch Glacier and
the Piz Palü

ピッツ・パリュのモル
テラッチ氷河

◄
Guarda, eines der schönsten
Dörfer im Unterengadin

Guarda, l'un des plus beaux
villages de Basse-Engadine

Guarda, one of the most
picturesque villages in the
Lower Engadine

ウンターエンガディン
で美しい村のひとつ、
グァルダ

White Turf: Pferde-
Skirennen auf dem gefro-
renen See vor St. Moritz

White Turf: course de
chevaux avec skieurs sur le
lac gelé de Saint-Moritz

White Turf: Horse-ski
racing on the frozen Lake
of St. Moritz

雪競馬。サン・モリッ
ツの凍てついた湖上で
馬スキー

Der Kirchturm von
Soglio im Bergell mit
der Sciora-Gruppe

Le clocher de Soglio dans
le val Bregaglia avec
le massif de la Sciora

The church tower of Soglio
in the Bergell valley, with
the Sciora Group

シオラ山脈を背景に
ベルゲル地方の村
ソーリオの教会塔

Nächtlicher Blick auf
St. Moritz und die Ober-
engadiner Seenkette

Coup d'œil nocturne sur
Saint-Moritz et le chapelet
de lacs de Haute-Engadine

Night view of St. Moritz
and the chain of lakes of
the Upper Engadine

オーバーエンガディン
に連なる湖とサン・
モリッツの夜景

◄

Innenraum der Kirche
von Mogno im Maggiatal,
Architekt: Mario Botta

Intérieur de l'église de
Mogno, œuvre de l'archi-
tecte Mario Botta, dans la
Valle Maggia

Interior of the church of
Mogno in the Maggia
Valley, designed by the
architect Mario Botta

マッジャタールにある
建築家マリオ・ボッタの
モニョ教会内。

►

Madonna del Sasso
oberhalb von Locarno
mit Blick gegen
die Magadinoebene

Sanctuaire de la Madonna
del Sasso au-dessus de
Locarno, avec vue sur la
plaine de Magadino

Madonna del Sasso above
Locarno, with a view to-
ward the plain of Magadino

ロカルノ上方に座する
マドンナ・デル・サッソ
とマガディーノ平野へ
の眺望

◄

Ascona, einstiges Fischer-
dorf am Lago Maggiore
mit südländischem Charme

Ascona, ancien village de
pêcheurs au charme méri-
dional, sur le lac Majeur

Ascona, formerly a fishing
village on the Lago
Maggiore, with its
southern charm

マジョーレ湖畔にある
魅力的な南国風の町、
アスコーナ。かつては
漁村だった

◄
Corippo, ein weitgehend
unverfälschtes Tessinerdorf
im Val Verzasca

Corippo, village tessinois
resté largement intact, dans
la Valle Verzasca

Corippo, a virtually authen-
tic Ticino village in the Val
Verzasca valley

ヴェルツァスカ谷で
不変の典型的ティチーノ
村、コリッポ

►
Intragna am Eingang
der Centovalli, an der
abenteuerlichen Bahnlinie
Locarno–Domodossola

Intragna à l'entrée des
Centovalli, près de l'auda-
cieuse ligne de chemin de
fer Locarno–Domodossola

Intragna at the entrance
to the Centovalli, on the
adventurous Locarno–
Domodossola railway line

ロカルノとドモドソラを
つなぐ冒険に富む路線。
チェントヴァリの入り
口、イントラニア村にさ
しかかる

◄
Mittelalterliche Brücke bei
Lavertezzo im Val Verzasca

Pont médiéval près de
Lavertezzo dans la Valle
Verzasca

Mediaeval bridge at Lavertezzo in the Val Verzasca
valley

ヴェルツァスカ谷の
ラヴェルテッツォ近くに
ある中世の橋

Lichterfest über dem
Castello Grande in
Bellinzona

Feux d'artifice au-dessus
du Castello Grande à
Bellinzone

Fireworks above the
Castello Grande in
Bellinzona

ベリンツォーナのカス
テロ・グランデにて光の
祭典

Abendstimmung über der
Bucht von Lugano, vom
Monte Brè aus gesehen

Soleil couchant sur la baie
de Lugano. Vue prise sur le
Monte Brè

Twilight over the bay of
Lugano, seen from the
Monte Brè

モンテ・ブレより眺めた
ルガノ湖畔に漂う夕暮れ
叙情

Morcote, malerisches
Uferdorf am Lago di Lugano

Morcote, village pittoresque
sur la rive du lac de Lugano

Morcote, a picturesque
village on the shore of the
Lake of Lugano

ルガノ湖畔の絵に描か
れたような村、モロ
コーテ

Das schönste Erbe der Römer

Vor 2000 Jahren haben die Römer die Weinbaukultur nördlich der Alpen verbreitet, und im Mittelalter haben Kirchen und Klöster die Kunst der Weinkelterung bewahrt und verfeinert. Wenn auch heute in der ganzen Schweiz an sonnigen Lagen Rebbau betrieben wird, so sind doch die Ufer des Genfer Sees, des Neuenburger und des Bieler Sees sowie das Unterwallis besonders begünstigte Rebbaugebiete. Traditionell dominieren die Chasselas-Traube, die spritzige Weissweine ergibt, sowie rote Gamay- und Pinot-Noir-Sorten. Manche Winzer überraschen aber auch mit ausgefallenen Sorten, aus denen Weine ganz besonderer Prägung entstehen.

Le plus bel héritage des Romains

Ce furent les Romains qui, il y a 2000 ans, propagèrent la culture de la vigne au nord des Alpes. Au Moyen Âge, les églises et les monastères entretinrent et affinèrent l'art de la vinification. Si, aujourd'hui, la viticulture est pratiquée dans toute la Suisse sur des terres bien exposées au soleil, les rives du Léman, des lacs de Neuchâtel et de Bienne, ainsi que le Bas-Valais, sont des régions viticoles particulièrement privilégiées. Dominants par tradition, le raisin Chasselas qui donne un vin blanc sec et léger, ainsi que les variétés de Gamay rouge et de Pinot noir. Mais certains vignerons surprennent par des variétés peu communes dont on fait des vins au caractère tout à fait particulier.

Romans' most precious legacy

Two thousand years ago, the Romans spread the cultivation of vineyards north of the Alps, and in the Middle Ages the churches and monasteries retained and refined the art of winemaking. Even though vineyards are now cultivated on sunny slopes throughout Switzerland, it is the shores of the Lake of Geneva, the Lake of Neuchâtel and the Lake of Biel as well as the lower Valais that are particularly favourable winegrowing areas. Traditionally the Chasselas grape, producing a lively white wine, is predominant, together with the Gamay and Pinot Noir types. But many winegrowers also grow surprising and exceptional grapes that produce wines of a very special character.

最高の古代ローマ遺産

2000年前、古代ローマ人がアルプスの北側にまでワイン文化を広め、その後中世期には教会や修道院で葡萄圧搾技術が受け継がれ、更に洗練されて行きました。今日でも、日のよく当たる土地で葡萄栽培をしたければ、レマン湖畔やヌシャテル、ビール湖畔がウンターヴァリスと共に国内最適地といえるでしょう。伝統的には爽やかな白ワインを産するにはシャスラ種、赤にはガメイやピノ・ノアールが多く栽培されていますが、かなりの葡萄農家が独特な味わいあるワインの為に驚くべき珍種もてがけています。

Schweizer Uhren – gefragt wie nie

Als in den 1970er-Jahren die billigen Quarzuhren aus Fernost den Weltmarkt überschwemmten, schien das Schicksal der traditionsreichen Produktion mechanischer Uhren in den einsamen Juratälern besiegelt. Reihenweise mussten Fabriken schliessen, Tausende von Arbeitern wurden entlassen. Dann kam die Wende: Die erfolgreiche Designer-Plastikuhr «Swatch» brachte 1983 das Selbstvertrauen zurück, und die traditionelle mechanische Uhr erfreut sich heute als Luxusgut international einer ungebrochenen Beliebtheit. So ist es gekommen, dass die Schweiz ihrem Ruf als Uhrenland heute wieder so gerecht wird wie eh.

Les montres suisses – plus demandées que jamais

Lorsque, dans les années 1970, les montres à quartz bon marché venues d'Extrême-Orient inondèrent le marché mondial, on crut que le destin de la production de montres mécaniques d'ancienne tradition, dans les vallées solitaires du Jura, était scellé. Les fabriques contraintes de fermer se comptèrent par séries; des milliers d'ouvriers furent licenciés. Puis les choses changèrent. Le succès de la «Swatch», montre design en matière plastique, rétablit la confiance en soi en 1983: la montre mécanique traditionnelle jouit aujourd'hui, en tant qu'article de luxe, d'une faveur sans partage dans le monde entier. C'est ainsi que la Suisse répond de nouveau aujourd'hui, comme aux temps passés, à sa réputation de pays horloger.

Swiss watches – in demand as never before

When in the 1970s cheap quartz watches from the Far East flooded the world market, the fate of the long traditional production of mechanical watches in the lonely valleys of the Swiss Jura seemed sealed. Numerous factories closed down and thousands of workers lost their jobs. Then came the change: "Swatch", the wildly successful plastic designer watch, won back the Swiss watchmakers' self-confidence in 1983, and today the traditional mechanical watch, as a luxury object, is enjoying an unbroken international esteem. Thus it has come about that Switzerland is measuring up to its reputation as a country of watches as much as ever.

スイス製時計 - これまでにない需要

1970年代には東洋の安価なクォーツ時計が世界市場に蔓延し、伝統的メカニック時計生産の運命は辺鄙なジュラの谷深くに封じ込められてしまったかのようでした。工場は次々と閉鎖され、何千人もの労働者が失業。でも、転機は訪れ、1983年にプラスチック製デザイン時計「スウォッチ」が成功し、自信を取り戻すことができました。伝統メカニック時計も贅沢品として世界的な人気を確固たるものとしています。こうして、時計国としての評判は、今日再びこれまでになくスイスにふさわしいものとなりました。

WEST- UND NORDWESTSCHWEIZ
OUEST ET NORD-OUEST DE LA SUISSE
WESTERN AND NORTHWESTERN SWITZERLAND
西・北西スイス

Wenn man die französischsprachige Westschweiz quasi zu Frankreich rechnet, liegt man ebenso falsch, wie wenn man die Deutschschweiz als Teil des grossen Nachbars im Norden versteht. Und doch fühlt man sich in der Waadt oder in Genf ein wenig nach Frankreich versetzt – nicht nur, was das Essen und die Liebe zum guten Wein betrifft. Die Grenze zwischen den Kulturen verläuft allerdings fliessend, und beim Jassen, dem traditionellen Schweizer Kartenspiel, zieht man noch in Aarau, weit östlich der Sprachgrenze, die französischen Karten den deutschen vor.

En assimilant quasiment à la France la Suisse occidentale francophone, on se méprend tout comme si on voyait la Suisse germanophone dans l'aire du grand voisin au nord. Et pourtant, dans le canton de Vaud ou à Genève, on se sent un peu transporté en France, non seulement en ce qui concerne la bonne chère et l'amour du bon vin. La limite entre les deux civilisations est mouvante, il est vrai, et pour le «jass», le jeu de cartes traditionnel suisse, on préfère, à Aarau encore, bien loin à l'est de la frontière linguistique, les cartes françaises aux allemandes.

Anyone who equates French-speaking western Switzerland with France would be just as mistaken as someone who takes German-speaking Switzerland for its big neighbour to the north. However, in Vaud or Geneva one does feel a bit transported to France, and not only in what concerns the cuisine and love for good wine. In any case, the border between the Swiss German and French-speaking cultures is rather fluid, and when playing Jass, the traditional card game of the Swiss, French playing cards are still preferred to German ones in Aarau, far to the east of the linguistic border.

フランス語が話される西スイスはフランスのようなものだと思うなら、ドイツ語圏スイスが北の大きな隣国の一部と考えるのと同様に、誤り。それでも、やはりジュネーブやヴォー地方に行けば何となくフランス風。食べ物や美味しいワインを好むというだけでもありません。文化の境界線というのは必ずしも定かではなく、例えば、スイスの伝統的なカード・ゲームのヤッセンでは、言葉の境界線より遙か東にあるアアラウでも、ドイツ系よりフランス系カードが好まれています。

Basler Mehlsuppe
100 g Mehl, 60 g Butter, 1½ l Bouillon, Reibkäse.
Das Mehl in der zerlassenen Butter unter ständigem Rühren braun rösten. Die Pfanne vom Herd nehmen, unter ständigem Rühren mit dem Schwingbesen die heisse Bouillon einrühren. Aufkochen und 1 Stunde unter gelegentlichem Rühren leicht kochen lassen. Würzen, mit viel Reibkäse servieren.

Basler Mehlsuppe
(Soupe à la farine bâloise)
100 g de farine, 60 g de beurre, 1½ l de bouillon de bœuf, fromage râpé.
Faites brunir la farine dans le beurre fondu en remuant constamment. Retirez la marmite du feu et mouillez avec le bouillon brûlant sans cesser de remuer au fouet. Amenez à ébullition et laissez mijoter à petit feu pendant une heure en remuant de temps en temps. Assaisonnez, servez avec beaucoup de fromage râpé.

Basel Mehlsuppe
(Burnt flour soup)
1 cup flour, ½ cup butter, 7 cups broth, grated cheese.
Heat the butter in a large pan until very hot. Add the flour and stir continuously until the mixture is brown. Remove pan from heat and stir in the hot broth with a whisk. Return to the heat, bring to a boil and cook gently for one hour, stirring occasionally. Season to taste and serve with lots of grated cheese.

バーゼル風小麦粉スープ
小麦粉100ｇ、バター60ｇ、ブイヨン11/2ℓ、粉チーズ。
溶かしたバターに小麦粉を加え、常に混ぜながら色づくまで炒める。鍋を火からはずし、熱いブイヨンを泡立て器でよくかき混ぜながら加える。一度煮立てた後、1時間ほど弱火にかけ、時折まぜる。味付けをし、粉チーズをたっぷり添えて頂く。

Der Palais des Nations,
europäischer Sitz der
UNO: Sinnbild für die
internationale Stadt Genf

Le Palais des Nations, siège
européen de l'ONU: sym-
bole de la ville internationale qu'est Genève

The Palais des Nations,
European headquarter of
the UN and a symbol of the
international city of Geneva

パレ・デ・ナシオン、
国連欧州本部は国際都
市ジュネーブの象徴

Der Jet d'eau, Genfs
Wahrzeichen: 500 Liter
Wasser pro Sekunde
schiessen 140 m hoch
in die Lüfte.

Le Jet d'eau, emblème de
Genève: 500 litres d'eau
par seconde jaillissent
jusqu'à 140 m de hauteur.

The Jet d'eau (water jet),
Geneva's landmark: every
second, 500 litres of water
are shot 140 m into the air.

ジュネーブのシンボル
大噴水ジェ・ド。1 秒
間に500 ℓ の水を140m
の高さに吹き上げる

Winterstimmung
im Lavaux am Genfer See

Ambiance hivernale dans
le Lavaux au bord du lac
Léman

Winter mood in Lavaux on
the Lake of Geneva

レマン湖畔ラヴォの冬
の情景

Pittoreske Gasse in der
Altstadt von Lausanne

Ruelle pittoresque dans la
vieille ville à Lausanne

Picturesque lane in the old
town of Lausanne

ローザンヌ旧市街の
趣ある路地

Die romanisch-gotische
Kollegiatskirche Notre-
Dame über der Altstadt
von Neuchâtel

La collégiale de Notre-
Dame, de styles roman et
gothique, au-dessus de la
vieille ville de Neuchâtel

The Romanesque-Gothic
collegiate church of Notre
Dame dominates Neu-
châtel's old town.

ヌシャテル旧市街上方
に建つロマネスク・
ゴシック様式の聖母合同
教会

Der Creux du Van,
imposante Felsarena im
Jurakalk des Val de Travers

Le Creux du Van, imposante
arène rocheuse dans le
calcaire jurassique du Val
de Travers

The Creux du Van, an im-
posing cliff arena in the
Jura limestone of the Val
de Travers valley

堂々たるトラヴェール
谷のジュラ石灰岩
アリーナ、クリュ・
ドゥ・ヴァン

◄

Blick von den Rebbergen
oberhalb Ligerz auf
den Bieler See mit der
Petersinsel

Coup d'œil du haut du vig-
noble au-dessus de Gléresse
(Ligerz) sur le lac de Bienne
avec l'île Saint-Pierre

View from the vineyards
above Ligerz over the Lake
of Biel and the Petersinsel
(St. Peter's Island)

リゲルツ上方の葡萄
地から見渡したビール
湖とサンクト・ペーター
半島

◄

Die Altstadt von Fribourg
mit der gotischen
Kathedrale St.-Nicolas

La vieille ville de Fribourg
avec la cathédrale gothique
de Saint-Nicolas

The old town of Fribourg
with the Gothic cathedral
of St. Nicholas

フリブール旧市街のゴ
シック様式サン・ニコラ
大聖堂

►

Das mittelalterliche
Städtchen Gruyères
im Saaneland

La bourgade de Gruyères,
d'aspect moyenâgeux, dans
la vallée de la Sarine

The mediaeval town of
Gruyères in the Saaneland
region

サリーヌ地方の中世風
な町、グリュイエール

◀
Die Altstadt von Bern mit
dem Münster und der
Kuppel des Bundeshauses
(rechts)

Vieux quartiers de Berne
avec la cathédrale et (à
droite) la coupole du Palais
fédéral

The old town of Berne
showing the cathedral and
the cupola of the Federal
parliament building (to the
right)

ベルン旧市街。大寺院
の尖塔と右手には連邦議
事堂の丸屋根が見える

▶
Schloss und Wehrmauer
des mittelalterlichen
Städtchens Murten

Château et remparts de
la petite ville moyenâgeuse
de Morat

The castle and walls of the
mediaeval town of Murten

中世の町ムルテンの城
と防壁

◀
Verschneite Juralandschaft
in der Vallée de Joux

Paysage jurassien enneigé
dans la Vallée de Joux

A snowy landscape in the
Jura valley Vallée de Joux

ジュラ地方、ヴァレ・
ド・ジュの雪景色

Wilhelm Tell, ein echter Schweizer?

Als aufrechter, freier Bergler, der sich nicht vor fremden Mächten beugt, den Tyrannen wagemutig den Kampf ansagt und überdies erst noch ein äusserst präziser Schütze ist, verkörpert der Schweizer Nationalheld Wilhelm Tell alle massgeblichen Tugenden dieses Landes. Gelebt hat der «Super-Schweizer» Wilhelm Tell allerdings wohl nie, denn seine Geschichte ist von nordischen Heldensagen abgeleitet. Dennoch: Er inspiriert noch immer Künstler, Werber und Politiker, und eine Freilichtaufführung von Friedrich von Schillers Drama «Wilhelm Tell», etwa in Interlaken, ist alleweil ein Erlebnis.

Guillaume Tell, un Suisse authentique?

Montagnard libre, fier et droit, qui ne se soumet pas aux puissances étrangères, qui déclare sans peur la guerre aux tyrans et est, de plus, un tireur d'une extrême précision, Guillaume Tell, le héros national suisse, personnifie toutes les vertus qui comptent dans ce pays. Mais ce «Super-Suisse» n'a sans doute jamais existé, car son histoire est dérivée de légendes nordiques. Et pourtant: il n'a pas cessé d'inspirer les artistes, les publicitaires, les politiciens, et la représentation en plein air du drame «Wilhelm Tell» de Friedrich von Schiller, à Interlaken, par exemple, est toujours vécue comme un événement.

Wilhelm Tell, a real Swiss?

An upright, free mountain man who refused to bow to foreign powers, boldly declared war against tyrants and was a dead shot besides, the Swiss national hero Wilhelm Tell is the embodiment of all the alleged virtues of his country. Actually this "super Swiss" never really lived; his story was derived from Nordic heroic sagas. Nonetheless he still inspires artists, advertisers and politicians, and an open-air performance of Friedrich von Schiller's drama "Wilhelm Tell", like the one given in Interlaken, is sure to be an experience.

ヴィルヘルム・テルは本物の スイス人？

生一本で自由を好む山男、外圧に屈さず、暴君には果敢に挑戦し、非常に正確な射手。スイスの国民的英雄、ヴィルヘルム・テルにはあらゆる美徳が備わっています。実のところテルの話は北欧の英雄伝説から派生したもので、そんな「スーパー・スイス人」が実在したわけではありません。それでも、芸術家や広告会社、政治家などに与えた影響は大なり。インターラーケンなどで催されるフリードリヒ・フォン・シラー作『ヴィルヘルム・テル』の野外上演はやはり印象深いものです。

Zweierlei Volksfeste in Zürich

Jeweils am dritten Montag im April findet in Zürich das Sechseläuten statt, ein Frühlingsfest, das um 18 Uhr in der Verbrennung des «Bööggs», einer mit Knallkörpern gefüllten Puppe, kulminiert. Dem Fest, das von Männern der Zürcher Oberschicht bestritten wird, haftet etwas elitäres und anachronistisches an. Ganz anders die Street Parade: Am ebenso schrillen wie friedlichen Umzug zu dröhnenden Techno-Rhythmen, der trotz Augusthitze jeweils Hunderttausende nach Zürich lockt, darf teilnehmen, wer will. Je ausgeflippter, je extrovertierter, desto lieber.

Deux genres de fêtes populaires à Zurich

Le troisième lundi du mois d'avril, on célèbre le «Sechseläuten» à Zurich, fête du printemps qui atteint son point culminant à 18 heures quand le «Böögg», bonhomme de neige-mannequin bourré de pétards, se consume dans le feu. Cette fête, essentiellement assumée par des hommes appartenant aux classes supérieures zurichoises, est empreinte d'un brin d'élitisme et d'anachronisme. Bien différente, la Street Parade: prend part qui le veut à ce cortège aussi bruyant que pacifique qui se déploie sous des rythmes de techno assourdissants et, malgré la canicule d'août, attire à Zurich des centaines de milliers de personnes. Plus on s'éclate, plus on est extraverti, plus on est dans le ton.

Two quite different folk festivals in Zurich

Every year on the third Monday in April the Sechseläuten festival, a celebration of spring, takes place, culminating in the burning of the "Böög", a large dummy filled with firecrackers, in a bonfire at 6 pm. The festival, traditionally a prerogative of the men of Zurich's upper crust, has something slightly elitist and anachronistic about it. Quite otherwise is the Street Parade: garish yet peaceful, moving along to the thunderous beat of mighty techno rhythms, the parade draws hundreds of thousands of people to Zurich despite the August heat. Anyone who wants to, can join in – and the more flamboyant you are, the better.

チューリヒの祭り二種

毎年4月の第三月曜日にはチューリヒの春祭り、ゼクセロイテンが催されます。夕方6時になると火薬を詰めた人形「ベーク」を頂点に組んだ焚き火を燃やし、爆発時点が祭りの最高潮。ただ、この祭りは市の上流男性中心で、ちょっとエリートっぽく時代錯誤の感がなきにしもあらず。打って変わって、ズンズンと響くテクノ音楽にのるストリート・パレード。賑やかで和気藹々たるパレードには誰もが参加でき、8月の暑さにもめげず、何十万人もがチューリヒに引きつけられて来ます。突飛に浮かれオープンであればあるほど受けます。

MITTELLAND, ZENTRAL- UND OSTSCHWEIZ
MOYEN-PAYS, SUISSE CENTRALE ET ORIENTALE
MITTELLAND, CENTRAL AND EASTERN SWITZERLAND
ミッテルランド・中央および東スイス

Zürich, die grösste Stadt der Schweiz, kann sich mit gut 350 000 Einwohnern zwar kaum mit den Metropolen der Welt messen, die wirtschaftliche und kulturelle Ausstrahlung der Stadt an der Limmat ist dennoch beachtlich. Und das Schöne ist: In nur rund einer Stunde Auto- oder Eisenbahnfahrt gelangt man von hier gegen Osten ins traditionsreiche Voralpengebiet Appenzell, gegen Süden nach Luzern und an den vielgesichtigen Vierwaldstättersee, gegen Westen in die Bundesstadt Bern und gegen Nordwesten in die weltoffene Kulturstadt Basel. So hat die kleine Schweiz ihre grossen Vorteile.

Zurich, ville la plus grande de Suisse, ne peut guère se mesurer, avec un peu plus de 350 000 habitants, aux métropoles du monde. Le rayonnement économique et culturel de la cité sur la Limmat est néanmoins appréciable. Et elle jouit d'un bel avantage: il ne faut qu'une heure environ en auto ou en train pour gagner, à l'est, l'Appenzell, région riche en anciennes traditions dans les Préalpes; au sud, Lucerne et le lac des Quatre-Cantons aux multiples aspects; à l'ouest, Berne, la capitale fédérale, et au nord-ouest, Bâle, ville d'un remarquable dynamisme culturel, où règne une grande ouverture d'esprit. La petite Suisse est ainsi dotée de grands avantages.

Zurich, Switzerland's largest city, with its some 350,000 inhabitants can hardly compare with the metropolises of the world, but the economic and cultural influence of the city-on-the-Limmat is nevertheless considerable. And the wonderful thing is that in only about an hour's drive or train ride to the east you are in the tradition-rich Alpine foothills of Appenzell, to the south Lucerne, to the west Berne and to the northwest the cosmopolitan culture city of Basel. Indeed, the small country of Switzerland does have its great advantages.

スイス最大の都市、チューリヒ。人口約35万では世界の大都会とは比較にならない規模ですが、リマト河岸のこの街が放つ経済的・文化的影響力は相当なものといえるでしょう。便利なのはここから車か電車で約1時間、東に行けば伝統的なアルプス前方地域アッペンツェル、南に行けばルツェルンや多様な趣のフィーアワルトシュテッテ湖、西に向かえば首都ベルン、そして北西に行けば世界に開けた文化都市バーゼル。小スイスならではの大利点です。

Appenzeller Chäsmaggronen
200 g Hörnli, 400 g Kartoffeln in Würfel geschnitten, 200 g geriebener rässer Appenzeller Käse, 1 Zwiebel, 50 g Butter.
Kartoffeln und Hörnli (getrennt) in Salzwasser weich kochen, abtropfen lassen und sehr heiss mit dem Käse vermischen. Die Zwiebel in Ringe schneiden, in Butter knusprig rösten und über die Chäsmaggronen geben.

Appenzeller Chäsmaggronen
(Plat appenzellois aux macaroni et au fromage)
200 g de cornettes, 400 g de pommes de terre coupées en dés, 200 g de fromage d'Appenzell (Rässkäse) râpé, 1 oignon, 50 g de beurre.
Faites cuire (séparément) les pommes de terre et les cornettes dans de l'eau salée; égouttez, et mélangez le tout, encore brûlant, avec le fromage. Détaillez l'oignon en rondelles, faites revenir celles-ci dans du beurre et répartissez-les sur le mets.

Appenzeller Chäsmaggronen
(Appenzell macaroni and cheese)
200 g (½ lb) macaroni, 400 g (1 lb) diced potatoes, 200 g grated sharp Appenzell cheese, 1 onion, ½ cup butter.
Cook the potatoes and the macaroni separately in boiling water until soft, drain and mix with the cheese while very hot. Slice the onion into rings, fry in butter until crisp and spread them over the Chäsmaggronen.

アッペンツェル風チーズ・マカロニ
マカロニ200ｇ、サイコロ型に切ったじゃがいも400ｇ、削ったアッペンツェル・チーズ（強味）200ｇ、玉ねぎ1個、バター50ｇ。
じゃがいもとマカロニは別々に柔かく塩ゆでにする。湯を切って、熱い内にチーズとまぜる。玉ねぎは輪切りにし、バターでパシッと炒め、チーズ・マカロニの上にかける。

Die Teufelsbrücke in
der Schöllenenschlucht,
Schlüsselstelle auf dem
Weg zum Gotthardpass

Le pont du Diable (Teufelsbrücke) et les gorges des
Schöllenen, point-clé sur le
chemin menant au col du
Saint-Gothard

The Devil's Bridge (Teufelsbrücke) in the Schöllenen
gorge, a key point on the
way to the Gotthard Pass

ゴッタルト峠へのキー
ポイント、シェレネン
渓谷にかかる悪魔橋。

Dampfromantik bei
der Vitznau–Rigi-Bahn

Evocation romantique de la
propulsion à vapeur dans le
chemin de fer à crémaillère
menant de Vitznau au Rigi

Steam-powered romanti-
cism on the Vitznau-Rigi
cogwheel railway

ヴィツナウ・リギ間を
上下する蒸気機関車

Winterstimmung auf
der Rigi, 1798 m ü. M.

Ambiance hivernale sur
le Rigi (1798 m d'alt.)

Winter mood atop the Rigi,
altitude 1,798 m (5,897 ft)

海抜1798m、リギの
冬景色

◄

Die Kapellbrücke über
die Reuss in Luzern, um
1300 erbaut als Teil
der Stadtbefestigung

Le Kapellbrücke qui en-
jambe la Reuss à Lucerne,
partie intégrante des forti-
fications de la ville lors de
sa construction vers 1300

The Kapellbrücke bridging
the Reuss in Lucerne, built
in 1300 as a fortification of
the city

町要塞の一環として
1300年頃に造られた
ルツェルンのロイス
川にかかるカペル橋

◄

Auf dem Vierwaldstätter See
verkehren noch mehrere
historische Raddampfer.

Plusieurs bateaux à vapeur
(à aubes) historiques cir-
culent encore sur le lac des
Quatre-Cantons.

Several historic steamships
still ply the Lake of Lucerne.

フィーアワルトシュ
テッテ湖では歴史的な
外輪船がまだ多く行き
交う

►

Abendlicher Blick auf
den Vierwaldstätter See
vom Fronalpstock ob
Brunnen aus

Vue, du haut du Fronalp-
stock au-dessus de
Brunnen, sur le lac des
Quatre-Cantons, le soir

Evening view toward the
Lake of Lucerne, from
the Fronalpstock above
Brunnen

ブルンネン上方、フロン
アルプシュトックから眺
めたフィーアワルトシュ
テッテ湖の夕暮れ

◄

Der Pilatus, 2119 m ü. M.,
Aussichtsgipfel mit
prächtigem Blick auf das
Mittelland und die Alpen

Le Pilate (2119 m d'alt.),
sommet panoramique
avec vue splendide sur le
Moyen-Pays et les Alpes

The Pilatus, altitude 2,119 m
(6,950 ft), whose summit
offers a magnificent view
over the Swiss Mittelland
as well as the Alps

海抜2119mのピラトス
山頂にある展望台とミッ
テルランドやアルプス
への眺望

◄

Das imposante Rathaus
am Hauptplatz von Schwyz

L'imposant hôtel de ville sur
la grand-place de Schwytz

The imposing town hall on
the main square of Schwyz

シュヴィーツの中央
広場にあるりっぱな市
庁舎

▶

Klosterplatz und Kloster-
kirche des Wallfahrtorts
Einsiedeln

Eglise abbatiale et place
devant l'abbaye, dans
le lieu de pélerinage
d'Einsiedeln

The monastery square
and abbey church of Ein-
siedeln, a revered place of
pilgrimage

巡礼地アインシーデ
ルンのクロスター広場と
修道教会

◄

Silvesterkläuse in Urnäsch

Silvesterkläuse (Nicolas de la Saint-Sylvestre) à Urnäsch

Silvesterkläuse (Nicholas of New Year's Eve) in Urnäsch

ウルネシュのシルヴェスター・クロイゼ（サンタならぬ大晦日クロース）

▶

Auf den Säntis, 2502 m ü. M., führt seit 1935 eine Luftseilbahn.

Depuis 1935, le Säntis (2502 m d'alt.) est desservi par un téléphérique.

The aerial tramway up to the Säntis, altitude 2,502 m (8,206 ft), has been in operation since 1935.

海抜2502mのセンティスへは1935年以来ロープーウェイで登れる

◄

Das Limmatquai in Zürich, links das Rathaus, rechts das Grossmünster

Le Limmatquai à Zurich. A gauche, le Rathaus; à droite, la cathédrale Grossmünster

The Limmatquai in Zurich, with the town hall on the left and Grossmünster church on the right

チューリヒのリマト河岸。左手に市庁舎、右手にグロスミュンスター

◄

Appenzeller Jodlergruppe
beim Alpaufzug am
Säntiser See

Groupe de jodleurs appen-
zellois dans la montée à
l'alpage, près du Säntiser
See

An Appenzell yodeling
group at the Alpaufzug
(ascent of the cattle to the
high summer pastures) on
the Lake of Säntis

アッペンツェルのヨー
デル・グループ。セン
ティサー湖畔にてアル
プに上る祭り時に

◄

Toggenburger Bauer mit
der typischen Tabakpfeife
und den reich geschmück-
ten Hosenträgern

Paysan du Toggenburg avec
la pipe typique de la région
et les bretelles folkloriques
richement décorées

A Toggenburg farmer
with typical pipe and richly
decorated braces

典型的なパイプをくわ
え、装飾豊かなサスペン
ダーをつけた、トッゲン
ブルクの農夫

▶

Frauen in der Festtags-
tracht an der Fronleich-
namsprozession in
Appenzell

Femmes en costume de fête
régional dans la procession
de la Fête-Dieu à Appenzell

Women in festive folk
costumes on the feast of
Corpus Christi in Appenzell

アッペンツェルの祭礼
衣装姿の女性達による
聖体節パレード

◄

Die Stiftskirche St. Otmar
in St. Gallen, 1755–1766
im barocken Stil erbaut

L'église abbatiale baroque
dédiée à saint Otmar,
édifiée de 1755 à 1766
dans la ville de Saint-Gall

The monastic church of
St. Otmar in St. Gall, built
in the Baroque style
in 1755–66

1755-1766年のバロッ
ク式建造物、サンクト・
ガレンのサンクト・オト
マー修道院付属教会

▶

Die Stiftsbibliothek
St. Gallen, ein Unesco-
Weltkulturgut, besitzt
mehrere Handschriften
aus dem 9. Jahrhundert.

La bibliothèque abbatiale
de Saint-Gall, patrimoine
culturel mondial de
l'Unesco, possède plusieurs
manuscrits du IXᵉ siècle.

The Stiftsbibliothek
(monastic library) of
St. Gall, a Unesco World
Heritage Site, possesses
numerous manuscripts
dating from the 9th century.

ユネスコ指定文化財サ
ンクト・ガレンの修道院
図書館は9世紀からの
手書き文書を数多く所蔵

◄

Bemalte, mit Erkern ver-
zierte Häuser im Städtchen
Stein am Rhein

Maisons aux façades
décorées de peintures et
d'oriels dans la petite ville
de Stein am Rhein

Gaily painted houses
adorned with bay windows
in the town of Stein am
Rhein

壁画や出窓に装飾され
たシュタイン・アム・
ラインの家並み

Der Rheinfall bei Schaff-
hausen, mächtigster
Wasserfall Westeuropas

Les chutes du Rhin près de
Schaffhouse sont les chutes
d'eau les plus imposantes
de l'Europe occidentale

The Rhine Falls near
Schaffhausen, the biggest
waterfalls in Western
Europe

西欧最大の滝、シャフ
ハウゼン近郊のライン
ファル

Schaffhausens Altstadt
zwischen dem Rhein
und der Festung Munot
aus dem 16. Jahrhundert

Vieille ville de Schaffhouse
entre le Rhin et la forte-
resse du Munot qui date
du XVIᵉ siècle

The old town of Schaff-
hausen between the Rhine
and the Munot fortress,
built in the 16th century

ライン川と16世紀の要
塞ムノットの間にシャフ
ハウゼン旧市街